Mavis Tatton-Brown.

ENZO, 1

À Yannick

••••••••••••••••••••••••••••••••

La vie au collège revue et rêvée par la littérature

Elisabeth Brami invite des écrivains à donner, à la première personne, la parole et une voix intime à des personnages de collégiens.

••••••••••••••••••••••••••••••••

Enzo, 11 ans, sixième 11 a remporté le prix Cultura « La jeunesse a du talent » 2014 et le prix Beaugency 2014.

Loi n° 49-956 du 16 juillet 1949 sur les publications destinées à la jeunesse, modifiée par la loi n° 2011-525 du 14 mai 2011.
ISBN 978-2-09-254385-6

ENZO, 11 ANS, SIXIÈME 11

Joëlle Ecormier

1

Je suis né un onze novembre à onze heures et onze minutes.

Ma mère a « souffert le martyre » pendant onze heures. Les pires de sa vie, elle dit.

Après ce grand moment de bonheur, elle m'a appelé Enzo. Je pense que c'était pour se venger. S'il faut une preuve, je suis vite devenu Zozo. « Mais quel zozo ! » sont les trois mots que ma mère me répète le plus souvent. Il paraît que c'est affectueux. C'est surtout énervant.

Quand j'ai appris à écrire les nombres, en classe de CP, j'ai réalisé que pour écrire « onze », je devais utiliser les mêmes lettres que celles de mon prénom, mais dans le désordre. Bravo Champollion ! Depuis que j'ai appris que « Enzo » est l'anagramme de « onze », j'ai fait la paix avec mon prénom. À partir de cette découverte, j'ai commencé à faire attention aux chiffres et j'ai remarqué que le 11 me suivait comme mon nombre depuis le premier jour de ma vie.

Le 11 septembre 2001, je suis tombé de ma table à langer pendant que ma mère bloquait sur les tours de New York qui s'effondraient sans fin à la télé. C'est cette cicatrice que j'ai là. En regardant bien, on dirait un 1. Ça se voit mieux quand je rougis, mais je préfère pas.

Ma maison est la 11e de la rue. Celle de mon ex-meilleur copain est au 11 bis.

L'horloge du four affichait 11:00 quand mon père a téléphoné à la maison pour m'annoncer que ma petite sœur était née. Ils l'avaient appelée

Jade. Son anagramme à elle : DEJA. Personne ne l'avait vue venir !

Mon chat Timotéo a disparu un 11 décembre. Il est revenu un mois après, le 11 janvier.

Il y avait exactement 111 personnes à l'enterrement de ma grand-mère.

Le 11 mars 2011, je me suis fait confisquer ma DS à l'école, le même jour que le séisme au Japon. Va te plaindre pour une DS après ça !

Au collège, ma moyenne tourne toujours autour de 11, quoi que je fasse. Malheureusement, ce n'est pas parce que je vois des nombres partout que je suis bon en maths.

Je ne compte pas toutes les fois où je regarde ma montre sans le faire exprès à 11:11.

La liste des 11 dans ma vie est longue. Il vaut mieux que je m'arrête là.

Cette année, je suis en sixième et j'ai onze ans. Et nous sommes en 2011. Alors il va forcément se passer un truc. Je me demande bien quoi, parce que, globalement, je trouve que je n'ai pas beaucoup de bol. Enfin, ça dépend, c'est aussi arrivé parfois que le 11 me porte chance.

2

Je m'étais imaginé toute une mauvaise série de 11 pour mon passage en sixième. J'en faisais des cauchemars la nuit. Une armée de 11 bien alignés avançait sur moi et, bien sûr, j'étais incapable de bouger. Ils portaient des bottes et sautaient à cloche-pied dans un bruit infernal. Je me réveillais juste avant d'être piétiné. Dans un autre rêve, il pleuvait des 11. Ils étaient taillés dans du fer et gradués comme des règles. Je me faisais défoncer la tête. Même à la télé, c'est interdit aux enfants, ce genre de film. J'avais un parapluie mais je n'arrivais pas à l'ouvrir. De toute façon, c'était crétin un parapluie contre ça. Je dégoulinais tellement de peur qu'au réveil je croyais que c'était du sang qui coulait sur mon visage.

La sixième, c'était l'idée la plus brrr au monde pour moi. Genre tremblement de terre. En comparaison, l'arrivée de ma petite sœur dans ma vie, c'était un mini-séisme, disons 4 sur l'échelle de Richter : effets légers. La sixième, c'était magnitude maximale, 9 : dévastateur. Je n'en savais rien à vrai dire, mais c'était le film que je me faisais tout seul. C'est bien beau de visiter le collège en fin de CM2, mais tant qu'on n'y est pas vraiment, la sixième c'est quand même mystère et Kinder Surprise. Surtout dans mon cas personnel. 11 ans le 11/11/2011, ça faisait un peu trop de 11 à la fois pour que je sois tranquille. Je voyais le gros bouton rouge avec le message clignotant : CODE 11 ACTIVÉ. Et la sirène d'enfer qui va avec. S'il devait y avoir un gros bug dans ma vie, ça ne pouvait arriver que ce premier jour de sixième. J'imaginais bien la mauvaise prophétie de film catastrophe avec zéro chance de s'en sortir vivant, même pour le héros. Coup de bol, la rentrée est tombée le 5. Je préfère ne pas imaginer la suite si ça avait été le 1er ou le 11 septembre.

C'est peut-être le détail «qui a fait que». Finalement, il s'est passé des choses, mais rien de grave. La preuve c'est que je suis toujours en vie. Le 5 a dû faire bouclier interstellaire ou quelque chose comme ça. Enfin, je dis ça après coup. Passé le premier trimestre, c'est facile de raconter que le collège, ce n'était pas la peine d'en faire toute une montagne et que ce n'était pas la mer à boire. Pour tout dire, avant d'y mettre les pieds, c'était plutôt la chaîne des Pyrénées plus celle des Alpes l'une sur l'autre, et pour la mer, la Morte aurait bien été, salée comme une soupe en sachet. Imbuvable.

La phrase qu'il ne fallait pas me dire, c'était : «Bon ben ça va, ce n'est pas la fin du monde non plus, la sixième. » Ma mère a trouvé le moyen de la placer, l'air de rien. Pas la fin du monde ? Ah non ? Cinq ans avec la même sonnerie, cinq ans dans la même cour de récréation taguée de marelles, avec le même arbre planté au milieu et qui perd ses feuilles presque chaque fois que tu perds une dent, cinq ans avec les mêmes têtes qui grandissent en même temps, avec le même directeur dans la même veste été comme hiver, cinq ans dans la même cantine, c'est vrai que ce n'est pas la fin du monde après tout, mais c'est la fin de MON monde, ça oui ! Mon monde de primaire. Cinq ans, c'est l'âge de ma petite sœur, c'est toute sa vie, moi je n'oserais jamais lui dire que ça compte pour rien, même si ça me gratte parfois.

Pendant tout le mois d'août, j'ai rempli des pages entières de 6. C'est bizarre mais ça me calmait. C'est rond le 6, c'est doux, ça ressemble à une goutte d'eau. Ma mère est tombée dessus le jour où je les avais regroupés par trois, trois jours avant le jour J. Ça donnait : 666 666 666… Il a fallu lui expliquer que je ne faisais pas partie d'une secte bizarre genre satanique. Elle a vraiment avalé que je faisais des lignes de chiffres pour améliorer mon écriture, tu peux le croire, ça ? C'est vrai que je suis plutôt « pattes de mouche et compagnie », comme elle dit. Je m'en suis bien sorti, je n'avais pas le courage de lui avouer ma trouille de la sixième. Elle était tellement fière de mon passage au collège qu'elle m'appelait Enzo. Je ne voulais pas la décevoir en lui disant que je me sentais plus zozo que jamais.

3

Le 5 septembre a été un double jour de rentrée dans notre famille. Celui de mon père et le mien. Enfin, pour mon père, ce n'était pas exactement un vrai jour de rentrée. Disons que c'était plus un examen de passage. Il avait un rendez-vous pour du travail. On a pris le bus ensemble. Pendant le trajet, j'ai pensé aux cases «profession des parents» des fiches qu'on allait me demander de remplir. Pourquoi est-ce que je n'ai pas un père diplomate et une mère traductrice à l'ONU, comme Owen ? C'est nul, mon père est «en recherche d'emploi», ma mère trouve que «chômeur» ce n'est pas «positif».

Elle, elle est coach. Urgh. En primaire, c'était déjà la honte. Aucune personne normale ne sait ce que ça veut dire « coach ». Au collège, ça allait être pire, j'allais devoir le marquer sur la fiche de chaque professeur pour chaque matière, la honte allait être multipliée par 9. Pour éviter de mourir de ça, j'ai écrit « chercheur » pour mon père et « entraîneuse sportive » pour ma mère, même si c'est plutôt les muscles de la volonté de son club de loosers qu'elle entraîne. Et puis, ce n'était pas vraiment un mensonge pour ma mère, c'est même carrément du sport de l'avoir sur le dos. Pendant une semaine avant le jour J, elle a fait à mon père du « coaching de recherche d'emploi » et à moi du « coaching d'intégration/adaptation au collège » pour qu'on ait un « mental gagnant ». Youpi. Mais au moins, pour une fois, toute l'attention n'était pas braquée sur moi. Parce que ça, c'est plutôt pénible.

Quand on s'est séparés à l'arrêt du collège, mon père et moi, on s'est souhaité bonne chance. Il s'est excusé parce qu'il ne pouvait pas m'accompagner à cause de son rendez-vous. Je lui ai dit que ce n'était pas grave, mais en fait, si. Surtout qu'il était très classe dans son costume noir avec sa cravate bleue. Il avait l'air d'un chercheur qui va à la remise de son prix Nobel. Il aurait mis la honte au père d'Owen qui a une tête de cornichon. Mais bon, je ne voulais pas que mon père rate son rendez-vous, j'avais vraiment envie que ça marche pour lui cette fois-ci. Il m'a fait un petit signe derrière la vitre du bus, et je lui ai fait le V de la victoire avec mes doigts. Moi, dans ma tête de veau qui va à l'abattoir tout seul, il y avait le truc super énervant qui me vient quand j'ai trop peur : *il était un p'tit homme qu'on appelait Guilleri Carabi il s'en fut à la chasse à la chasse aux perdrix carabi titi carabi toto carabo compère Guilleri te lais'ras-tu te lais'ras-tu te lais'ras-tu mouri*. Et ça, sans pouvoir m'arrêter et de plus en plus vite, comme une toupie folle. À cinq ans passe encore, à dix, c'est carrément la honte.

La toupie a stoppé quand on a appelé mon nom dans la cour du collège. J'étais en 6e 11. Logique. Normal. Ça m'a rassuré d'une certaine manière. Tout n'était pas complètement chamboulé. À part qu'avec mon super copain du 11 bis, nos chemins se sont séparés. Lui était en 6e 2. Pendant le premier trimestre, il s'est fait un autre copain qui est devenu pour lui meilleur copain que moi. On se voit encore de temps en temps, mais ce n'est plus pareil qu'avant. Comme dit papa, ce sont les « dommages collatéraux » de la sixième. Tant pis, c'est comme ça, j'y gagne quand même, parce que « collégien » ça fait plus style qu'« écolier ».

Dans les autres « dommages trop collants », il y a aussi le fait que, de « grand » du primaire, je suis passé à « petit » du collège. Tout pourri. Pour me consoler, papa m'a dit que j'étais quand même son grand de sixième. Mouais… Il a ajouté qu'il fallait que je m'y habitue parce que ce serait le yo-yo tout le temps jusqu'à la fin de ma scolarité : en troisième, je deviendrais le plus grand du collège, puis à nouveau le plus petit du lycée en seconde, et pour finir, le plus grand en terminale. Ça m'a rappelé Alice, pas celle de ma classe, celle d'*Alice au pays des merveilles*, le livre qu'il fallait lire pendant les vacances de la Toussaint. Cette fille-là passe son temps à rétrécir et à grandir. Sauf qu'elle, personne ne la bouscule dans les escaliers et les grands de troisième ne la doublent pas à la cantine. Mais on est à égalité pour le lapin blanc qui regarde sa montre tout le temps. Nous au collège, le lapin, c'est madame CPE. Au début, je trouvais qu'elle pouvait faire aussi le rôle de la cruelle Reine de Cœur avec les surveillants comme Cartes Soldats. Mais en fait, non. Elle est un peu comme Timotéo, elle sort les griffes quand on énerve ses moustaches, c'est tout, et les surveillants sont des soldats sympas. Il suffit de se tenir un peu à carreau ou, en tout cas, essayer de ne pas se faire prendre quand on dépasse les bornes. C'est comme les tables de multiplication, ça s'apprend.

4

Ce qui a donné la touche «pays des merveilles» au collège, ça a été Eva. Je dis «ça a été», parce que je ne sais plus trop bien si ça l'est encore. Ce qui est sûr, c'est que ce n'est plus tout le temps merveilleux comme avant. Certains jours, mon nouveau monde est aussi fou que celui d'Alice. Et c'est Eva qui est aux manettes. Elle fait le soleil et la pluie, mais je ne sais jamais à l'avance s'il faut un parapluie ou des lunettes de soleil. Résultat, je suis, ou tout mouillé comme un crétin, ou tout cramé, comme un crétin aussi. Ça a commencé par le soleil.

Eva, je l'ai repérée tout de suite au milieu des élèves le premier jour. Et on formait un beau petit bataillon de sixièmes dans la cour. Eva était un peu plus petite que les autres mais ce n'était pas pour ça que je ne voyais qu'elle. Eva ressemble à Hinata dans *Naruto*. Je crois que le mot « belle » a été inventé pour elle. Il y avait une chance sur onze qu'elle soit dans ma classe.

L'appel des noms pour les classes a été une vraie torture, *il était un p'tit homme qu'on appelait Guilleri Carabi il s'en fut à la chasse à la chasse aux perdrix carabi titi carabi toto carabo compère Guilleri*. Quand la 6e 9 est partie avec son professeur principal, on était encore là tous les deux. Il ne restait plus qu'une chance sur deux, *il était un p'tit homme qu'on appelait Guilleri Carabi il s'en fut à la chasse à la chasse aux perdrix carabi titi carabi toto carabo compère Guilleri te lais'ras-tu te lais'ras-tu te lais'ras-tu mouri*. Quand Eva est venue se joindre à ma classe, j'ai eu l'impression que je venais de gagner à la loterie. Enfin, je suppose qu'on doit se sentir dans cet état-là. Le 11 était sorti et il m'avait porté bonheur. Je me suis retenu pour ne pas faire la danse de la joie.

Tout s'est très bien passé la première semaine. Enfin, à peu près. Je n'ai pas trop eu le temps de me faire des copains comme les autres parce que je pensais sans arrêt au moyen d'approcher Eva. C'était impossible de lui parler, d'abord parce qu'elle était toujours entourée de filles et ensuite parce que… j'étais mort de trouille. Pour ne pas passer pour un nul à ses yeux, je me comportais comme si j'avais été en sixième toute ma vie. Ça me réussissait bien, c'était l'avantage.

J'ai vite compris le système des numéros des classes. Les bâtiments et les couloirs n'avaient pas de secrets pour moi. J'y étais aussi à l'aise qu'une souris futée dans un labyrinthe. J'avais appris par cœur mon emploi du temps qui était affiché au-dessus du bureau de ma chambre et planqué dans ma trousse. Je vérifiais au moins dix fois que j'avais bien pris toutes mes affaires, cinq fois le soir et cinq fois le matin. J'avais l'impression de commencer une carrière de toc-toc, mais j'étais au point. Ma mère en a conclu que son « coaching d'intégration/adaptation au collège » avait été très efficace. Il avait dû y avoir quelques failles dans celui de papa parce que son rendez-vous n'a pas marché. On ne l'a jamais rappelé, comme on le lui avait promis. Mais il avait d'autres entretiens prévus, et maman a dit qu'il devait s'entraîner encore. Hip hip hip hourra.

D'ailleurs, c'est grâce à un des rendez-vous de papa que j'ai pu parler à Eva pour la première fois. C'était le troisième jour après la rentrée. Ce matin-là, j'avais dû conduire Jade à l'école pour dépanner papa. La poisse. Alors qu'on arrivait devant sa classe, Jade s'est aperçue qu'elle avait oublié son Toudoux, cette espèce d'affreux bout de tissu qui sent mauvais. Elle s'est mise à pleurer comme vache qui pisse. Ma grand-mère disait ça pour la pluie, mais ça va bien à

Jade aussi. Bref, j'ai été obligé d'aller chercher son Toudoux à la maison. Évidemment, je suis arrivé en retard au collège. Le troisième jour, youpi. J'ai eu droit aux félicitations de madame Lapin blanc : « Bravo jeune homme ! », et à une remarque comme quoi « ça commençait bien ». *Te lais'ras-tu te lais'ras-tu te lais'ras-tu mouri*. Je m'attendais à être puni jusqu'à la fin de mes jours sur terre, mais elle a dit que ça passait pour cette fois et elle a ajouté que je ne devais pas prendre de mauvaises habitudes.

Eva aussi était en retard. Je suis tombée sur elle dans un couloir, elle était perdue et elle avait oublié son carnet de correspondance. Le niveau de rouge de mes joues qui avait baissé un peu après l'épisode avec Lapin blanc est remonté à son maximum, c'est-à-dire jusqu'à mes oreilles. Alerte ! Alerte ! Mais c'était ma chance. J'ai conduit Eva à la bonne porte. Avant d'entrer, elle m'a souri et m'a dit : « Merci Enzo. » Elle se souvenait de mon prénom ! Elle se souvenait de mon prénom ! Une fois dans la salle, elle s'est excusée pour nous deux, ce qui m'arrangeait bien vu que j'avais les jambes en coton, la tête en mode manège et genre dix chamallows dans la bouche. Avec son joli sourire, c'est passé tout seul. Le professeur nous a juste dit de nous asseoir. Il restait une table de libre avec deux places côte à côte. Le professeur a ensuite demandé qu'on garde toujours ces places-là pour l'aider à retenir nos noms. Je vénère le cours de SVT.

La météo a tourné très vite. Une semaine après, c'était pluie.

On a eu un nouveau dans la classe. Il arrivait des États-Unis et il ressemblait à Jacob dans *Twilight*. Il avait une tête de copain et de petit copain parfait. Sa façon de s'habiller était parfaite. Son sac était parfait. Sa coiffure était parfaite. Sa voix était parfaite. Il avait l'air d'être deux fois plus vieux que nous. Je l'ai détesté tout de suite.

C'était Owen.

5

J'aimerais arrêter de penser à Owen. Je n'y arrive pas. Ça m'énerve. Tout le monde pense à Owen. Eva aussi, je suppose. Même Miss Ombredane, notre professeur d'anglais, finit par oublier le reste de la classe. Au premier cours d'anglais, on a plus ou moins massacré notre *years old*, notre *phone number*, le nombre de nos *sisters* et de nos *brothers*, et où on *live*. Owen, on aurait dit que CNN l'interviewait. Il commençait chacune de ses phrases par « *Well...* » en laissant bien traîner sa voix et répondait à des trucs qui n'étaient pas dans les questions. La grosse frime.

Miss Ombredane était aux anges. Ça se voyait qu'elle se régalait. Alors qu'on est tous *French* dans la classe, Eva est *French Chinese* et Owen, *French American*. Ça leur fait une espèce de point commun super énervant. Moi, ma mère est née à Billom en Auvergne. Plus française qu'elle, tu meurs. Mon père pourrait être de Pluton, mais il est de Normandie. *How do you say* « trop nul » *in English* ?

C'est quand même grâce au cours d'anglais que j'ai pu avoir le *phone number* d'Eva. Comme les autres élèves, d'ailleurs. Je ne risque pas de le perdre, je l'ai avalé par cœur.

Owen est devenu le centre de la classe. La vedette, le chouchou, le petit chéri. En ce qui me concerne, c'est plutôt ma bête noire, ce n'est pas la même chose mais ça m'occupe la tête pareil. À la cantine, tous les garçons veulent se mettre à sa table comme si c'était vraiment l'acteur de *Twilight.* Quelle bande de nazes ! Qu'ils ne comptent pas sur moi pour lui lécher les bottes. De toute façon, il n'y a jamais de place quand j'arrive. Je ne sais pas comment les autres se débrouillent dans la queue, mieux que moi, apparemment. J'ai découvert que j'avais un super pouvoir : je suis Invisible-Man. On me passe devant, on m'écrase, exactement comme si on ne me voyait pas.

La cantine, c'est chaque fois le grand bazar. On se croirait dans un jeu de *Pacman*. Tu te fais bouffer par les plus grands dans la file, et quand tu arrives au bout, les meilleurs plats ont disparu. Parfois, tu as un bonus : tu fais tomber ton plateau. Génial. La cantine entière t'applaudit en hurlant WÉÉÉH !!! comme si tu venais de réussir un super numéro de jonglage. Le jour où ça m'est arrivé, je me suis dit que ce n'était pas très grave parce j'avais eu des pâtes louches à la place des frites. La vérité, c'est qu'il m'aurait fallu un gros coaching « surmontage de honte ». Le pire, c'était Owen. Il a continué à manger comme si de rien n'était. Comme si le spectacle n'en valait pas la peine. Le lendemain, c'est lui qui a fait tomber son plateau et, tout Owen qu'il était, il a eu droit à des applaudissements aussi. Je suis sûr que c'était exprès pour montrer qu'il s'en tirait beaucoup mieux. Quelques-uns de son fan-club sont venus l'aider à nettoyer.

C'est fou, plus je pense à Owen et plus… j'y pense, comme si j'avais des tas de dossiers sur lui qui ressortent dès que son prénom me vient en tête. Ça m'énerve d'une gravité incroyable. Heureusement qu'il est absent de temps en temps. Ça me fait un peu d'air. Je ne sais pas ce que ses parents peuvent écrire sur ses billets d'absence. « Séance photos », « Interview pour *Stars Plus* », « Coiffeur », « Voyage à Miami » ? Moi, jusque-là, j'ai eu un presque-retard et zéro absence. Et je n'ai jamais oublié mes affaires.

6

Le jour des élections des délégués de classe, Owen était présent. Ben voyons. Ça aurait été trop bête qu'il rate son plus grand jour de gloire. Moi, je n'avais pas voulu me présenter. Être délégué de ma petite sœur, de mon chat et parfois de mon père auprès du grand conseil de ma mère, ça me suffisait bien. Il a fallu qu'Eva s'en mêle. Pendant la récré, elle m'a demandé pourquoi je ne m'étais pas présenté. Elle trouvait que j'étais quelqu'un sur qui on pouvait toujours compter, que j'étais sérieux, enfin, ce genre de choses. Elle était candidate. Je lui ai dit que de toute façon c'était trop tard, mais elle m'a répondu que je pouvais me déclarer au dernier moment. Et elle a souri.

Ce n'est pas possible de sourire comme ça. Peut-être que c'était sa façon de me dire qu'elle voulait sortir avec moi. Ou peut-être pas. Peut-être qu'elle sourit comme ça à tout le monde. Pourquoi c'est le même mot pour « déclarer son amour » et « se déclarer aux élections » ? Je fais comment, moi, pour savoir ce qu'Eva a voulu dire vraiment avec son histoire de déclaration ? De toute façon, dès qu'elle me parle, il y a une moitié de mon cerveau qui va faire un tour et l'autre qui meurt noyée dans son sourire. Alors forcément, je prends la mauvaise décision : je me suis déclaré aux élections. Ça méritait bien cent lignes de « je suis le roi des crétins ». On était le 11 octobre et j'étais candidat. *Il était un p'tit homme qu'on appelait Guilleri Carabi il s'en fut à la chasse à la chasse aux perdrix carabi titi carabi toto carabo compère Guilleri te lais'ras-tu te lais'ras-tu te lais'ras-tu mouri.*

On a voté. J'ai eu une seule voix, et ce n'était même pas la mienne. Pour me consoler, je me suis dit que c'était celle d'Eva, parce que après tout c'était elle qui m'avait poussé à me présenter. Moi j'avais voté pour elle rien que pour le plaisir d'écrire son prénom sur un bout de papier. Elle a été élue déléguée.

Owen aussi a été élu. Majorité absolue. Sauf qu'il ne s'était pas présenté. Je pense que c'est à cause de ses remarques sur les casiers. Quand il est arrivé au collège, Owen a trouvé bizarre qu'il n'y en ait pas. Il disait qu'aux États-Unis il y en avait partout et que c'était super pratique. Bon ben, ça va, on est au courant, il suffit de regarder les séries américaines. À croire que les casiers ont été inventés pour draguer les filles. C'est le quartier général des histoires de cœur. Owen n'a qu'à rentrer dans son pays si ce n'est pas assez bien ici pour lui. N'empêche, c'est vrai que c'est cool les casiers. Avec tout ce qu'on trimballe dans nos sacs pour les cours, on a l'impression d'avoir un placard sur le dos les jours de classe. Mais ce n'est pas pour ça que j'aurais voté pour Owen. Il aurait pu avoir le courage de se présenter si ses idées étaient si bonnes.

Quand le professeur lui a demandé s'il acceptait son mandat, il a dit qu'il était désolé mais qu'il ne pouvait pas. Les filles ont commencé à miauler son prénom et les garçons se sont mis à siffler. Il s'est fait un peu prier, pour le plaisir. À la fin, tous les élèves, sauf moi, criaient OWEN ! OWEN ! OWEN ! – et il a été obligé d'accepter. Il a eu droit à de vrais applaudissements. Le prof l'a félicité, et j'ai vu qu'il lui faisait un clin d'œil discrètement.

Owen m'a désigné suppléant et quand Owen dit oui, tout le monde dit oui. Il aurait dû s'appeler « Jacques a dit », tiens. Je n'arrive pas à comprendre pourquoi il a fait ça. Peut-être pour me montrer que c'est lui qui décide. Ou alors pour me mettre dans sa poche comme les autres.

Mon amour-propre me hurlait de refuser, mais toute la classe me regardait en bavant d'envie d'être à ma place. Impossible de me débiner. Eva m'a fait un petit signe de la tête, et moi, quand c'est Eva qui dit, c'est plus fort que moi, je fais.

7

Pendant les vacances de la Toussaint, on est allés dans la maison de ma grand-mère en Normandie. On n'y était pas retournés depuis son enterrement. Mon père disait tout le temps qu'il devait s'y rendre pour trier des affaires et bricoler deux ou trois trucs, mais il ne le faisait jamais.

J'aime bien la maison de Siouville. Elle n'est pas loin de la plage, on y va à pied. J'ai passé presque toutes mes vacances là-bas. Quand j'étais petit, mon père me faisait croire que le village était plein de Sioux qui se cachaient pour tirer des flèches. Je voulais toujours être les

Sioux quand on jouait aux Indiens. Une année, à Noël, ma grand-mère m'a offert un tipi marron et rouge. On pouvait tenir à trois dedans. Elle m'avait fabriqué un costume d'Indien avec des franges sur sa machine à coudre et avait arraché des plumes au vieux coq pour me faire une vraie coiffe de chef sioux. Mon père disait que j'étais le dernier Sioux de Siouville. Ça m'a rendu plus malheureux d'apprendre qu'il n'y avait jamais eu d'Indiens en vrai à Siouville que lorsque j'ai su pour le père Noël.

Le jardin de Siouville est le plus beau que je connaisse. Il a deux noisetiers, un grand cerisier avec une balançoire, un sapin, la souche d'un poirier qu'on a dû abattre parce qu'il était malade, trois pommiers et plein de pâquerettes dans l'herbe et les coccinelles qui vont bien avec. Il y a aussi un laurier-tin qui n'est pas du thym, des groseilliers, des framboisiers, des rhododendrons. Ma grand-mère trouvait qu'on ne pouvait pas « fréquenter » un jardin sans connaître le nom de ses créatures, pour elle c'était la politesse. J'adorais dire « rhododendron » quand j'étais petit. Avec ma grand-mère on jouait à le répéter très vite pour voir qui se tromperait le premier.

Avant, il y avait aussi un âne tout noir qui s'appelait Basile comme mon grand-père, parce que, d'après ma grand-mère, son mari était le plus beau spécimen d'âne normand à deux pattes. Moi, je ne peux pas dire, je n'ai pas connu pépé Basile. Mais l'âne Basile, oui, je l'ai bien connu, c'était mon cheval de Sioux. Mon père a dû le donner aux voisins quand grand-mère est morte car il n'y avait plus personne pour s'occuper de lui. Il n'a pas fait long feu. Papa a dit qu'il était mort de chagrin. Le potager de légumes ne s'est pas gêné pour faire pareil. Grand-mère en était super fière parce qu'il avait donné une courgette de cinq kilos une fois. Basile et le potager se sont passé le mot pour ne pas avoir à supporter l'absence de grand-mère. J'aurais pu l'avoir aussi, le mot, j'étais tellement triste, mais je n'ai pas voulu le prendre. Je dois être plus courageux que des petits pois et qu'un âne noir.

En rangeant le grenier, papa a retrouvé mon tipi et il l'a monté dans le jardin. Ça m'a fait tout drôle. Grand-mère m'a manqué très fort d'un coup. Basile aussi. Heureusement qu'il restait les arbres. Papa a ressorti aussi mon costume de Sioux, mais comme il était trop petit pour moi, j'ai laissé Jade faire les Indiens, ça m'était égal d'être les cow-boys. Au début, je n'avais pas trop envie de jouer à ces trucs de bébé mais finalement, c'était marrant. Après on a mangé des pommes dans mon tipi. J'ai trouvé qu'elles n'avaient pas le même goût qu'avant, mais c'était bon quand même. J'ai raconté à Jade la vieille salade sur les Indiens de Siouville. Elle y a cru. On gobe vraiment n'importe quoi à cet âge-là. J'étais un peu jaloux d'elle quand même. Maintenant, ça m'arrive de moins en moins souvent de croire tout ce qu'on me dit. Je trouve que la vie était plus marrante avant. Et plus facile aussi.

8

Le dernier matin à Siouville, maman n'était pas là pour le petit déjeuner. Elle avait laissé un mot sur la table de la cuisine pour nous prévenir qu'elle était allée faire son jogging sur la plage et qu'on ne devait pas l'attendre. Bisous. J'ai fait le malin en disant que je croyais que les petits déjeuners c'était sacré dans cette famille. Papa a répondu que je ne devais pas parler comme ça et que maman avait eu une bonne idée parce qu'il faisait beau. Mouais. Jade a commencé à pleurnicher : elle voulait aller courir sur la plage avec maman. Petit déjeuner bien plombé. Personne n'avait vraiment faim. Papa a seulement bu son café. D'habitude il mange tout ce qu'il y a sur la table, même nos céréales. Comme je n'avais le droit de rien dire, je l'ai bouclée. J'avais peur de comprendre la suite de tout ça.

La veille, mes oreilles avaient un peu traîné près du salon où mes parents discutaient après le dîner. Maman parlait de rentrer et papa préférait rester encore parce que « les enfants » s'amusaient bien, surtout qu'il faisait bon pour un mois de novembre. Et puis ça s'est gâté quand maman a déclaré qu'elle n'avait pas que ça à faire, contrairement à certains. Papa a tout de suite compris que « certains » c'était lui et il s'est fâché. Il a dit que ce n'était pas de sa faute si sa boîte avait fermé et que personne ne voulait de lui à cause de la crise. Vlan. Maman a répondu que la crise avait bon ventre ou bon dos, un truc comme ça, et que papa aurait déjà trouvé un boulot s'il s'était bougé un peu plus le… enfin, bougé, quoi. Papa s'est énervé encore plus. Et maman aussi. À la fin, ils criaient tous les deux.

C'était la première fois que je les entendais se disputer. Maman a demandé à papa s'il croyait que c'était facile de faire vivre quatre personnes avec un seul salaire. Elle a ajouté que les choses pourraient s'arranger si au moins papa se décidait à vendre la maison de Siouville. Papa a hurlé : « Jamais de la vie ! » Maman a crié : « Tu es bien un âne normand comme ton père ! » Et après, il y a une porte qui a claqué. Zéro partout, balle au centre.

Je suis vite remonté dans ma chambre avec tout leur bazar sur le cœur, comme le Petit Poucet quand il entend ses parents dire : « Nous ne pouvons plus nourrir nos enfants. » La sœur du Petit Poucet dormait comme une masse. Trop de chance.

Personne n'a touché au mot de maman sur la table quand on a rangé le petit déjeuner. On ne savait pas quoi en faire. Jade est allée finir de pleurer dans notre chambre, et moi j'ai pris *Alice au pays des merveilles* que je devais lire pour la rentrée et j'ai filé dans le jardin. Ce livre-là est tellement bizarre que si tu n'es pas concentré, tu ne comprends rien. C'est ce qui m'est arrivé parce que je ne pouvais pas m'empêcher de surveiller le portail bleu.

Papa est venu s'asseoir à côté de moi sous le sapin. Il m'a demandé si c'était bien, mon livre. Bof. Il a dit que le personnage qu'il préférait, c'était le chat du Cheshire parce qu'il sourit tout le temps même quand il disparaît. J'ai ronchonné que je n'en étais pas encore là. Et puis, l'air de rien, il m'a annoncé que Jade et moi on allait rentrer plus tôt chez nous avec maman et que lui allait rester encore un peu dans la maison de grand-mère pour mettre de l'ordre. J'ai regardé le portail et je lui ai demandé si maman et lui allaient divorcer. Rhododendron rhododendron rhododendron. Papa a répondu que non, certainement pas, que maman et lui s'aimaient très fort, mais qu'ils avaient juste besoin de passer un peu de temps pour réfléchir chacun de son côté.

Je l'ai cru parce qu'il a juré « Parole de Sioux », comme quand j'étais petit. Et puis il a dit un truc que ma grand-mère répétait toujours : « Il n'y a pas de quoi se mettre la rate au court-bouillon », et on a rigolé. Alors j'ai un peu arrêté de me faire du souci pour maman et lui.

Il a commencé à pleuvoir doucement, mais on est restés sous le sapin malgré tout. C'était bien. On ne se faisait pas mouiller. Papa a eu envie de me raconter que, quand il avait mon âge, il avait trouvé un petit plant d'arbre dans un numéro de *Pif Gadget*. C'était en 1975. Il aurait mieux aimé autre chose comme gadget, mais il avait quand même demandé à son père de l'aider à le planter. Pépé Basile lui avait dit que la pousse allait sûrement crever du fait que rien ne réussissait à mon père. Ça l'avait rendu très triste et aussi en colère. Finalement, grand-mère l'avait aidé et, maintenant, le gadget de *Pif* était au-dessus de nos têtes et nous protégeait de la pluie. Mon père m'a assuré qu'il devait faire dans les onze mètres de hauteur. La preuve que pépé Basile s'était trompé.

Une semaine avant notre départ pour Siouville, papa avait entendu à la radio que quelqu'un lançait un avis de recherche sur Internet pour retrouver les sapins de *Pif*. Il s'appelait Joël Fauré, c'est bête que ça ne s'écrive pas comme la forêt. Papa s'était souvenu du sien, c'était ça qui l'avait décidé à revenir dans la maison de Siouville. Il m'a dit qu'il allait faire une photo de son sapin pour le blog de Joël Fauré. J'ai fait promettre à papa de ne pas vendre la maison de grand-mère pour être sûr que personne n'abatte son sapin. Il a mis un bras autour de mes épaules et m'a serré très fort.

Et puis maman est revenue de la plage et on est rentrés à la maison… sans papa.

Dans la voiture, il était 11:11.

9

Il restait onze jours jusqu'à mon anniversaire.

Plus le temps passait, moins papa revenait, et plus je reniflais le jour catastrophe. Quand papa téléphonait, maman disait qu'elle était occupée et qu'elle le rappellerait plus tard, mais elle ne le faisait pas. Lorsque Jade demandait à papa quand il allait rentrer, il disait « bientôt, ma princesse ». À moi, il me demandait si j'avais fini de lire mon livre pour la rentrée. Il me disait aussi qu'il avait retrouvé ses bulletins de sixième, que ce n'était pas fameux fameux et que je devais travailler sérieusement si je voulais avoir un bon boulot un jour. Ça sentait le moral en mode

Siouville par temps de brouillard. À plein nez. Il disait que tout allait bien. Bien sûr, fais-moi croire ça, papa. Il a crâné en disant qu'il s'était baigné le 1er novembre, même que l'eau était à 15 degrés, et aussi qu'il avait fait du char à voile sur la plage. Mouais. Il n'a jamais su en faire. Et puis il finissait toujours par me demander si maman allait bien. Je lui disais que je n'étais pas son délégué de famille et qu'il n'avait qu'à lui poser la question lui-même.

En fait, la réponse était que maman n'était pas super heureuse non plus, ça se voyait. Soit elle était super énervée, soit elle avait l'air d'avoir la tête ailleurs. Sûr qu'elle allait oublier mon anniversaire. De toute façon, je n'avais pas envie qu'il arrive. Et j'en avais marre de mes parents, comme si je n'avais pas assez de problèmes comme ça avec Jade et Owen et Eva et la cantine et les devoirs et les poubelles à sortir et mes cheveux et le 11 novembre.

J'étais presque soulagé de repartir au collège. En plus, Owen n'était pas là le premier jour.

Il avait dû rater son avion à New York à cause d'un tournage… Pendant le cours de SVT, Eva m'a passé un mot : « T'étais où en vacances ? » J'ai écrit : « En Normandie, près de la mer. » Elle : « La chance ! » Moi : « Trop. Et toi ? » Elle : « Au centre commercial, c'était génial ! » Je ne voyais pas ce qu'il y avait de génial à être au centre commercial, mais j'ai supposé que, de son côté, elle aurait trouvé débiles mes parties de Sioux dans le jardin avec ma petite sœur, alors je ne lui ai pas dit. Si le prof n'avait pas été juste devant nous, j'aurais écrit à Eva que j'avais fait du char à voile avec mon père. Ça m'a évité de mentir pour ses jolis yeux.

Je m'arrange pour garder tous les petits mots qu'on se passe en SVT. Il me manque le premier parce qu'Eva l'a chiffonné à la fin du cours, sûrement parce que ça ne comptait pas beaucoup pour elle. Sinon, les autres, je les relis le soir dans mon lit et j'imagine que ce sont d'autres mots, des trucs d'amour.

Des boutons ont commencé à pousser sur mon

visage. La poisse. À tous les coups, j'allais me transformer en pomme de terre germée. Peut-être que c'était à cause de la crème fraîche que maman mettait dans ses plats depuis qu'on était rentrés de Siouville. Elle disait qu'on ne pouvait jamais en manger quand papa était là parce qu'il n'aime pas ça alors qu'elle, si. Elle râlait : « Les Normands adorent la crème, normalement. Même pour ça, il n'est pas capable d'être comme tout le monde. » Je lui ai dit que la crème me donnait des boutons. Elle m'a bien regardé, même un peu trop, et elle a soupiré : « Mon pauvre Zozo, excuse-moi. » Je devais vraiment faire pitié. Ça a été la fin de la cuisine normande et celle de mes boutons. Ouf.

Mon père me manquait. Au CDI, je me suis mis à un ordinateur et j'ai cherché le blog des sapins de *Pif*. Il y avait la photo de celui de mon père. J'étais super fier.

En cours de français, on devait écrire un conte

dans lequel il fallait mettre un enfant, un ogre, une fée et un objet magique. J'ai inventé l'histoire d'un petit garçon très malheureux parce que son père, qui est un ogre, a promis de le manger quand il sera assez gros. Pour ne pas que ça arrive, le petit garçon fait semblant de manger les gâteaux, les frites, le beurre et la crème que lui donne l'ogre. En réalité, il donne les frites aux cochons, le beurre au chat, la crème à l'âne et les gâteaux aux petits oiseaux. Un jour, l'oiseau le plus beau de la forêt lui donne en échange la graine magique d'un arbre en lui disant de la planter dans son jardin. Comme personne ne lui a jamais appris à jardiner, le petit garçon ne sait pas comment faire. Il demande donc à l'ogre de l'aider, mais celui-ci se moque de son fils en lui disant qu'il n'a qu'à manger la graine puisqu'il est aussi stupide qu'un pigeon. Le petit garçon pleure comme vache qui pisse et bientôt une fée apparaît dans les rhododendrons, d'ailleurs c'est la fée Rhododendron, et donc comme elle est très gentille, elle l'aide à planter la graine d'arbre. Elle lui dit qu'il devra l'arroser de onze larmes chaque jour. Le petit garçon est tellement triste que ce n'est pas difficile pour lui. Et l'arbre magique grandit très très haut, comme on dit, en beauté et en sagesse.

Comme le petit garçon ne grossit pas, son père l'ogre décide de le manger quand même. Il l'attache avec une corde au pied de l'arbre magique pour l'empêcher de s'enfuir. Pendant que l'ogre prépare le chaudron, les oiseaux viennent donner des coups de bec à la corde qui se casse. Le petit garçon grimpe à l'arbre aussi vite qu'il peut, haut, très très haut. Comme c'est un arbre magique, les branches tombent au fur et à mesure et l'ogre ne peut jamais rattraper son fils.

On ne sait pas ce qui arrive ensuite au petit garçon, peut-être qu'il s'envole ou alors il grimpe toujours, mais on dit qu'il n'a plus jamais pleuré parce qu'il avait utilisé toutes ses larmes quand il était petit.

C'était la plus longue rédaction de ma vie.

10

Il paraît que des millions de gens n'ont pas dormi d'un pouce la veille de l'an 2000, mais pas seulement parce qu'ils faisaient la fête. Ils étaient persuadés que la fin du monde était pour le lendemain. Tout allait sauter, le bug géant ! La race des humains allait être anéantie par les ordinateurs. En fait, non.

La nuit du 10 novembre, je n'ai pas dormi non plus. Enfin, pas beaucoup. Juste un peu à la fin, quand c'était l'heure de se lever. Cool. Quand j'ai réussi à arrêter le réveil, il était 07:11. À part ça et ma tête de zombie, il n'y a pas eu de catastrophe. La maison était encore debout, je ne me suis pas étouffé avec mes céréales, je n'ai rien renversé, aucun bouton en vue et mes cheveux ont bien voulu tenir en place sur ma tête. Le 11/11/2011 est passé complètement inaperçu à la maison. Ma mère était dans son jour de lune. Mode planète, quoi. Elle a à peine remarqué mon existence sauf quand elle a eu besoin de me demander d'emmener Jade à l'école, mais depuis que papa n'était plus là, ça et les poubelles, j'avais l'habitude. Tout ça n'était pas vraiment une catastrophe, c'était juste triste, je veux dire, que maman ait oublié mon anniversaire.

En accompagnant Jade, j'ai pensé que peut-être maman n'avait pas oublié, c'était juste qu'elle était embêtée de me souhaiter un joyeux anniversaire et de m'annoncer en même temps que papa et elle allaient divorcer. Alors elle ne préférait pas. Au moins, dans la lune, c'est tout calme. Alors c'était ça, ma catastrophe du 11/11/2011 : le divorce de mes parents.

C'était un jour bizarre quand même. Il n'y avait presque personne dans les rues. Et ça a été encore plus bizarre quand on est arrivés devant l'école maternelle et que la grille était fermée. On était tout seuls au milieu de partout. Là, j'ai commencé à me dire qu'en fait les choses étaient bien plus graves que je croyais. Le monde s'était carrément arrêté de tourner, on était tombés dans une faille spatio-temporelle ou quelque chose comme ça. *Il était un p'tit homme qu'on appelait Guilleri Carabi il s'en fut à la chasse à la chasse aux perdrix carabi titi carabi toto carabo compère Guilleri te lais'ras-tu te lais'ras-tu te lais'ras-tu mouri.*

Une vieille dame est passée et nous a demandé ce qu'on faisait là un jour férié et celui de l'Armistice en plus, « Si c'est pas malheureux, ça ! », elle a dit en secouant la tête. Elle me faisait penser à ma grand-mère, mais ce n'est pas pour ça que j'ai eu envie de pleurer. Un peu que c'était malheureux. Maman nous avait entraînés sur sa lune avec elle. Jade et moi, on était là devant l'école fermée comme deux lapins crétins.

Et pourtant, l'Armistice du 11 novembre, je savais mieux que personne ce que c'était. Tous les ans, jusqu'à ce qu'elle meure, ma grand-mère me répétait sans jamais se fatiguer que le 11 novembre 1918, on avait signé la fin de la Première Guerre mondiale après quatre années de grands malheurs. Ce jour-là, à onze heures exactement, les hommes qui n'avaient pas été tués sont sortis des tranchées pour rentrer enfin chez eux. C'était pour s'en souvenir que, depuis, c'était un jour férié. Ma grand-mère disait qu'avec mon jour de naissance c'était double jour de fête.

Le 11 novembre 2011, personne n'avait la tête à ça. Entre papa et maman, c'était la guerre. La paix, ils n'avaient pas l'air d'avoir envie de la signer. Il y avait de quoi se mettre la rate au court-bouillon et le cœur avec. Et même oublier bêtement que la date de mon anniversaire était un jour sans école.

11

J'ai tenu la main de Jade pour rentrer chez nous. Elle ne s'est pas tortillée pour la retirer. Il fallait bien se serrer les coudes. Quand maman nous a vus rentrer, elle nous a demandé ce qu'on faisait là. Décidément, tout le monde nous demandait ça, et moi je commençais sérieusement à me demander ce que je faisais dans ce monde où je ne comprenais rien à rien. Elle ne nous a pas laissé le temps de répondre et, les yeux ronds comme des billes, elle a voulu savoir si les professeurs étaient en grève. Moi, mes yeux, c'étaient des nuages prêts à éclater. J'ai préféré ne rien dire, j'ai laissé Jade se débrouiller avec son école fermée et la vieille dame qui a dit que. Je suis allé dans ma chambre et j'ai fermé la porte.

J'y suis resté toute la journée. C'était long. Surtout sans la télé. Timotéo a gratté à la porte et je lui ai ouvert parce que je me sentais trop seul. Je n'ai pas déjeuné, je n'avais pas faim. Maman a voulu entrer à son tour et j'ai dit oui parce que c'est ma mère. Elle venait s'excuser doublement. Un, d'avoir oublié mon anniversaire, deux, d'avoir « zappé » le jour férié. Elle a juré qu'elle irait m'acheter un cadeau le lendemain. Je lui ai lancé que ce n'était pas la peine. C'est vrai que je n'en voulais pas de son cadeau de rattrapage. Après, Jade est venue m'offrir un dessin avec de grosses fleurs moches. Elle avait écrit le Z de Enzo à l'envers. Maman a passé sa tête par la porte en souriant pour me dire qu'on pouvait manger des crêpes pour le goûter et ouvrir une bouteille de… Elle s'est arrêtée avant de prononcer le mot « cidre » parce qu'on n'a que du cidre de Normandie chez nous. Mais c'était trop tard : on pensait tous les deux à papa. Il n'avait même pas appelé. Peut-être qu'il était vraiment bien sans nous, à faire du char à voile à Siouville.

Maman a insisté : « Bon, on les prépare, ces crêpes ? » Je sentais que si je ne venais pas l'aider à la cuisine, on aurait droit à des crêpes aux larmes. Alors j'y suis allé. On avait besoin d'un bon « coaching surmontage de jour pourri », et les crêpes, c'est parfait pour ça.

Pendant qu'on était en train de les manger, quelqu'un a sonné à la porte. On s'est regardés tous les trois comme dans un film, mais personne n'a dit : « Mais qui ça peut bien être ? » Maman est allée ouvrir. On l'a attendue un bon moment. Jade et moi, on en a profité pour s'enfiler quelques crêpes, j'avais drôlement faim. Et puis maman est revenue avec un bouquet de fleurs et un sourire jusque-là. Papa la tenait par la taille. Ils avaient les yeux rouges tous les deux.

Papa a posé une bouteille de cidre sur la table en disant qu'il arrivait juste à temps pour les crêpes. Jade s'est jetée sur papa en le barbouillant de confiture partout. Elle lui a demandé ce qu'il cachait derrière son dos. Il a fait son mystérieux : « Ah, ça, c'est une surprise pour Enzo ! » Et il m'a donné un paquet bleu en me souhaitant un joyeux anniversaire. On s'est serrés très fort dans nos bras.

C'était l'anniversaire le plus triste et le plus joyeux de ma vie. Enfin, je me comprends.

Le cadeau de papa, c'était une montre. Quand je l'ai sortie du paquet, elle indiquait 17:11.

Papa avait une autre surprise pour nous. Il avait trouvé du travail. Pour le moment, c'était un remplacement de six mois, mais on était tous super contents. On a bu du cidre, même Jade. Maman et papa n'arrêtaient pas de se lancer des regards d'amoureux.

Quand papa est venu me souhaiter bonne nuit dans ma chambre, je lui ai montré ma rédaction de l'arbre magique. Il l'a lue à voix haute comme quand il me racontait des histoires, sauf que là, c'était moi qui l'avais écrite. Ça faisait trop bizarre.

J'avais eu 18/20, c'était la première fois que je dépassais 11. Mais ma plus belle récompense, ça a été de voir les yeux de mon père tout mouillés et son sourire aussi grand que son sapin de 11 mètres quand il m'a dit merci.

12

À part à mon chat Timotéo, je n'avais jamais raconté mes histoires de 11 à personne. À Siouville, sous le sapin, ça aurait peut-être été le bon moment pour en parler à mon père, mais à côté de ses problèmes tout neufs avec maman et de sa vieille histoire bien lourde avec son père, mes 11 n'avaient l'air de rien. Alors je n'avais rien dit. Et j'aurais dû continuer à me taire. Il y a des choses de nous qu'on ne peut confier à personne, un chat ce n'est pas pareil. Qu'est-ce qui m'a pris de raconter ça à Eva ?

En cours de SVT, Eva m'a passé un mot :

« C’était comment ton anniversaire ? » Moi : « Comment tu sais que c’était mon anniversaire ? » Eva : « Chuis déléguée, je te signale. » Moi : « C’était cool. » Eva : « T’as eu quoi ? » Moi : « Une montre. » Eva : « Elle est jolie. » Moi : « Merci. » Eva : « C’était pas bizarre un 11/11/2011 ? » Moi : « Bof, j’ai l’habitude. » Eva : « Moi je suis née le 10/10, comme la révolution chinoise de 1911 ! »

Ça m’a tellement scotché de lire ça que je n’ai rien pu lui écrire d’autre pendant le reste du cours. Je savais depuis le début qu’Eva était la fille parfaite pour moi, mais là, j’avais LA preuve. Ce n’était pas le hasard si j’étais amoureux d’elle, c’était carrément le destin ! Elle et moi, on formait une suite logique : 10 et 11. C’est à ce moment-là que j’ai décidé qu’Eva, déclarée double dix révolutionnaire, était la seule créature humaine capable de comprendre mes 11.

Le soir chez moi, je lui ai écrit la liste de mes

11, ça faisait plus d'une page. Je lui ai donné ma feuille le lendemain.

Compère Guilleri a tourné en boucle dans ma tête toute la matinée. Je ne comprenais pas pourquoi Eva ne me parlait pas de ma liste de 11. Pourtant, elle en avait eu plusieurs fois l'occasion entre deux cours. Peut-être que ça la bouleversait trop de savoir qu'on était faits l'un pour l'autre alors qu'elle était amoureuse d'Owen. L'heure était venue pour elle de choisir. Elle devait avoir besoin de temps pour réfléchir.

J'étais juste derrière elle dans la queue pour la cantine. Je prenais les mêmes plats qu'elle parce que je n'arrivais plus à penser. Mon estomac faisait tellement de nœuds que je savais que je n'allais rien pouvoir avaler. Surtout que la salade de betteraves, je déteste ça. Et puis, Eva s'est tournée vers moi et elle a lancé : « Au fait, Enzo, c'est quoi ton problème avec les nombres ? » J'aurais voulu lui faire comprendre que ce n'était pas un problème, mais un truc, tu comprends Eva, j'ai un truc avec les nombres et toi aussi. Nous sommes connectés tous les deux par des nombres. Mais comme je ne sais pas parler et rougir à la fois, je suis resté stupidement muet. Elle est partie rejoindre la table de ses copines. De toute façon, je crois qu'elle n'attendait pas de réponse parce que ce qu'elle m'avait dit n'était pas vraiment une question.

Les betteraves sur mon plateau me donnaient envie de vomir. Je voulais les balancer et m'enfuir, mais je suis allé m'asseoir tout seul dans un coin. Salut Zozo ! Et comme si je n'avais pas eu mon compte, Owen est venu s'installer à ma table, juste en face de moi. Il m'a demandé si ça allait. J'ai répondu que oui et, comme punition bonus, j'ai dû finir mon plateau pour prouver que c'était vrai. Lui n'a presque pas touché à son repas. Je m'en fichais de savoir pourquoi. Il aurait sûrement préféré un hamburger géant avec des méga frites comme dans son pays.

13

Depuis que je suis né, j'ai déjà eu un bon milliard de fois l'occasion de mourir de honte. Mais jamais ça n'a été aussi féroce que la fois où je suis arrivé au cours de maths un jeudi et que j'ai lu ça sur le tableau : ENZO = ONZE.

La honte, je savais comment la supporter et même comment ne pas en mourir, mais la trahison, c'était autre chose. Surtout venant d'Eva. Et dire que j'avais fait des fautes exprès pour rester en soutien de français avec elle ! Ce n'était pas elle qui avait écrit au tableau, ce n'était pas son écriture. Mais elle avait dû parler de mes 11 à la seule personne qui ne devait pas le savoir : Owen. À tous les coups c'était lui. J'en étais presque sûr. Eva et lui se parlaient souvent, d'ailleurs il y en avait dans la classe qui commençaient à raconter qu'ils sortaient ensemble, d'autres qui disaient que c'était n'importe quoi, qu'ils se voyaient seulement pour le conseil de classe qui allait arriver dans quinze jours. Moi je n'en savais rien, mais la version « délégués » m'arrangeait. Owen faisait tellement plus vieux que son âge que les filles de quatrième lui tournaient autour, il pouvait bien me laisser Eva. Mais ce jour-là, je ne savais plus si j'avais envie qu'il me la laisse. Même si elle s'est retournée vers moi en faisant une petite grimace adorable qui voulait dire qu'elle était désolée. Moi aussi j'étais drôlement désolé. Toute la classe ricanait.

Le professeur a regardé le tableau un bon moment, tellement longtemps que les rires ont fini par s'arrêter. On se demandait bien à quoi il pouvait penser, et surtout comment il allait réagir. Peut-être qu'il allait tous nous coller même si on trouvait que c'était notre professeur le plus sympa. Et puis il a dit : « Mon fils se prénomme Enzo et je n'avais jamais pensé que je l'avais appelé onze dans le désordre. C'est stupéfiant ! » C'est comme ça qu'on a appris qu'il adorait le chiffre 1 parce que « c'est le chiffre de base, l'unité qui permet le fondement des mathématiques, qui forme un tout et qui est indivisible ». Jusque-là on suivait à peu près. Après, il s'est lancé dans une explication de savant fou en noircissant furieusement le tableau de trucs sur le 1 qui peut « s'ajouter à lui-même, se retrancher, se multiplier, se combiner en formules compliquées pour créer tout ce qui est mesurable, 1 qui est son propre carré et qui donc est un nombre de Kaprekar et aussi un nombre en division harmonique et le seul nombre parfait d'ordre 1 et qui est égal à la somme de ses chiffres dans tout système de numération de base différente et qui est un nombre Harshad complet et un nombre semi-méandrique et un nombre méandrique ouvert et aussi le premier et le deuxième nombre dans les suites de Fibonacci et le premier nombre de beaucoup de suites mathématiques ». Personne n'a rien compris, mais, waouh !

J'ai tout recopié. Tous ces noms bizarres, surtout « Kaprekar », on aurait dit des incantations magiques. Ça avait l'air de rendre notre professeur gravement heureux de les prononcer. Il était dans son monde et il ne se rendait même plus compte qu'on était là, mais on était tous impressionnés. Ça, c'était du prof de maths !

Après ça, il m'a regardé droit dans les yeux. Les siens avaient l'air un peu hallucinés. J'ai cru qu'il allait me jeter un sortilège parce que j'avais noté ses formules, mais il a dit un truc qui était finalement plutôt une bénédiction pour moi : « Pour les numérologues, le 1 symbolise le commencement mais, s'il est à la base de toutes choses, il est aussi l'unité et, par là même, la solitude. »

Et puis, sans chercher à savoir qui avait écrit

« ENZO = ONZE », il a effacé le tableau et il a dit en soupirant : « Alors, on en était où de nos multiplications ? »

14

Les choses ont vraiment commencé à changer à partir de ce cours de maths. C'était comme si le professeur avait rompu la malédiction qui pesait sur ma vie depuis toujours en disant à toute la classe qu'il avait un fils qui s'appelait Enzo. De Zozobizarre j'étais passé à Enzobizarre, ce qui était une sacrée évolution même si ça ne faisait pas de moi un Pokémon légendaire. Et puis, il y avait enfin une explication au fait que je n'avais pas d'amis. Ce n'était pas la faute du 1 mais la mienne. Ces barrières de 1 que je mettais autour de moi ne me protégeaient pas, elles me mettaient à part. C'était ça, ma solitude. Je l'ai compris en maths : pendant que le prof se faisait son délire, on était là, mais lui était isolé dans sa bulle.

À partir de là, ça a été fini pour moi, la solitude. À la cantine, on me réservait maintenant une place et des garçons qui ne m'avaient jamais parlé depuis le début de l'année sont devenus des copains d'un seul coup. Il paraît que je suis bizarre mais sympa. Tout le monde a un truc bizarre, non ? Axel qui passe son temps à tailler son crayon. Natasha qui tombe dans les pommes une fois par jour. Azan qui se nettoie les mains avec du gel à chaque instant. Nina qui n'arrive pas à lire des mots super simples. Même Owen est bizarre à force d'être trop parfait.

Au fond, ils avaient tous raison, j'étais le plus bizarre des bizarres. Malgré ma cote de popularité qui avait grimpé en flèche, j'étais triste. Quelque chose me plombait le cœur. J'en voulais à Eva de m'avoir trahi et je détestais Owen encore plus qu'avant. Et ça me gâchait tout. D'accord, c'était grâce à leur coup minable en maths que les choses s'arrangeaient pour moi. D'accord, je n'étais plus officiellement le seul à avoir « un problème avec les nombres », comme le pensait Eva, le prof de maths était bien gratiné lui aussi. Mais j'étais trop déçu. Je m'en fichais d'Owen, pas d'Eva…

Les jours d'après, je faisais comme si elle n'existait plus. Je l'évitais dans la cour et dans les couloirs. Pour une fois, j'étais reconnaissant au troupeau de filles qui s'agglutinaient autour d'elle. Au cours de SVT suivant, j'ai été bien obligé de m'asseoir à côté d'elle. J'ai réussi à ne pas la regarder une seule fois. Elle m'a glissé un mot : « Tu m'en veux ? » Moi : « Nan, tu crois ? » Eva : « Suis nulle. Pardon. » Je ne lui ai rien répondu. J'avais le cœur en bouillie. Elle a repris la feuille. Je me suis dit que, si elle m'écrivait qu'elle m'aimait, je pourrais oublier dans la seconde sa trahison, mais elle a écrit : « Owen veut te parler. » J'étais furieux : « Jamais. » Eva : « C'est important. » Moi : « JAMAIS ! »

Avec les autres, je jouais au garçon sympa. Je leur passais mes mangas et mes jeux vidéo. Je suis même allé discuter avec Nina pour lui proposer de l'aider. Tout le monde se moque d'elle parce qu'elle fait un milliard de fautes par ligne. Elle m'a expliqué qu'elle était dyslexique. Je ne savais même pas que ça existait ce truc. Pour elle, c'est comme si toutes les lettres se mélangent ou se collent du mauvais côté et qu'elle doit décoder des anagrammes chaque fois qu'elle lit. Tu parles d'un boulot ! Je ne pouvais pas faire grand-chose pour Nina, à part ne pas la laisser seule.

Je m'arrangeais pour bien montrer à Eva et à Owen que j'étais le copain de tout le monde, et surtout pas le leur.

15

Le professeur de maths nous a rendu le dernier contrôle du trimestre. Il a gardé ma copie pour la fin. *Compère Guilleri* battait des records de vitesse dans ma tête. Avant de m'annoncer ma note, il m'a dit qu'il voulait me voir à la fin du cours. *Te lais'ras-tu te lais'ras-tu te lais'ras-tu mouri*. « Enzo, meilleure note, 20/20. » J'ai entendu quelqu'un siffler « Fayot ! ». Ce n'était pas Owen, parce qu'il n'était pas là.

Je n'ai pas pu me concentrer pendant tout le cours. Le professeur devait penser que j'avais triché. D'habitude, j'avais toujours 11. Je ne savais même pas ce que j'allais pouvoir dire pour me défendre. À ce contrôle, j'avais trouvé les exercices tellement faciles que j'étais sûr que je m'étais trompé. En fait, je pensais avoir zéro. Même moi je n'y croyais pas à ce 20, alors le professeur… La preuve, c'est qu'il avait écrit comme commentaire en haut de ma copie : « Tu as fait très fort, bravo ! » Je crois que ça s'appelle de l'ironie. C'est le genre de chose que mon père dit quand je fais un truc énorme pas très malin, voire carrément débile, souvent en rapport avec Jade.

Mes parents allaient être convoqués et mon professeur allait tout leur raconter. Ils ne savaient même pas que j'étais délégué suppléant. Mon père et ma mère allaient envahir mon espace privé du collège, au secours ! Le Lapin blanc allait afficher sur le tableau principal : ENZO = ESCROC. J'étais grillé jusqu'à la fin du collège. Fini, les places réservées à la cantine ; adieu, les nouveaux copains. Eva allait me mépriser encore plus, mes parents allaient me priver d'argent de poche à vie, par ma faute ils allaient se disputer et divorcer pour de bon et ils allaient me séparer de Jade pour que je ne devienne pas un mauvais exemple. Ce ne serait jamais arrivé avec 11. Je détestais 20. J'aurais voulu me désintégrer tout de suite. Comme par hasard, mon pouvoir d'invisibilité ne marchait pas quand j'en avais vraiment besoin.

La fin du cours est arrivée. Le professeur a retenu Eva aussi. Quoi ! il ne pensait pas que j'avais copié sur Eva quand même ! On n'est pas assis à côté en cours !

Pendant qu'on attendait que la classe sorte, Eva m'a dit bravo pour ma note. Je ne savais pas si elle se moquait de moi ou pas, alors je n'ai rien répondu. Je n'avais pas envie d'être le crétin qui dit merci quand on lui crache à la figure.

Le professeur a fait le tour de son bureau et s'est assis dessus.

Il est allé droit au but : « Vous avez sûrement

remarqué qu'Owen est souvent absent depuis le début de l'année. Votre camarade est gravement malade. Il a un cancer. Ses parents ont préféré revenir en France pour pouvoir le soigner. Owen va devoir être opéré bientôt. Il sera donc hospitalisé et ne viendra pas au collège pendant une longue période. C'est une épreuve terrible pour lui, mais c'est un garçon courageux et nous espérons tous qu'il s'en sortira. Bien entendu, Owen ne pourra pas assurer sa fonction de délégué. Par conséquent, Enzo, en tant que suppléant, tu devras le remplacer au prochain conseil de classe, dans une semaine. Comme Owen n'a pas eu le temps d'en discuter avec toi, il m'a demandé de te souhaiter bonne chance. »

Eva a pleuré. Je lui ai pris la main et elle l'a serrée très fort.

16

En rentrant chez moi le soir de l'annonce du cancer d'Owen, j'ai filé dans ma chambre sans goûter. Ma mère a mis ça sur le compte de l'adolescence que j'ai dû attraper d'un coup en arrivant en sixième alors que, toujours selon elle, j'étais un garçon si gentil avant. Si c'est vraiment ça l'adolescence, alors c'est très moyen. J'ai cru que je n'allais plus jamais pouvoir manger de ma vie. Les mots « égoïste, crétin, nul, jaloux, décérébré, relou, sale mec, imbécile, ordure, âne normand, Zozo puissance mille » me serraient la gorge. Ils auraient pu m'étouffer, je le méritais bien. ENZO = ZÉRO.

On était bientôt en décembre, et depuis la rentrée, je n'avais fait que penser à moi, à mes minables petits 11 qui allaient me tomber dessus alors que c'était le ciel tout entier qui était en train de s'écrouler sur la tête d'Owen. Je m'étais complètement trompé sur son compte. Ce n'était pas son côté américain qui lui donnait l'air d'avoir trois ans de plus, c'était son cancer. Grand-mère aussi était devenue vieille d'un seul coup quand elle avait eu son sale cancer. J'aurais dû reconnaître qu'Owen se battait contre le même monstre dégueulasse. J'étais le mieux placé pour ça. Comme un imbécile, je croyais que le cancer ne s'attaquait qu'aux grands-mères qui vivent seules à Siouville avec un âne. Je n'avais jamais pensé que c'était possible de mourir à onze ans.

C'était chez son médecin ou à l'hôpital qu'Owen avait ses « castings ». Son regard doux, que je prenais pour de la fausseté, était de la vraie gentillesse. Tout le monde l'avait compris sauf moi. Il ne jouait pas à la star américaine d'Hollywood, il essayait juste de vivre comme les autres. Comment j'avais pu être aussi stupide pour croire autre chose ?

Je me repassais les moments où Owen avait essayé de m'approcher, ses tentatives pour devenir mon ami, moi qui étais si seul. À la cantine, le jour du vote… les choses me revenaient clairement maintenant que je les regardais d'une autre manière. J'avais tout fait rater, jusqu'à son dernier essai désespéré en cours de maths, le gros panneau sur le tableau pour attirer mon attention puisque j'étais aveugle comme un mur. Et quand il avait voulu me parler en passant par Eva, comme je ne comprenais toujours rien à rien, j'avais carrément refusé de l'entendre. Sans rancune, depuis son lit de malade, il me souhaitait encore bonne chance pour le conseil de classe alors que lui, c'était sur une table d'opération qu'il allait passer. Il ne méritait pas ça. Ce n'était pas juste. Je me sentais si bête et si triste.

Quand mon père est venu me souhaiter bonne nuit, il a bien compris que ça n'allait pas fort.

Je lui ai tout raconté en pleurant comme un veau, ce qui est pire qu'une vache qui pisse. Il m'a dit que le cancer d'Owen n'était probablement pas le même que celui de grand-mère et que, pour le moment, le plus important c'était d'être là pour lui. J'ai répondu que j'étais trop nul pour ça, et que de toute façon je ne savais même pas quoi faire. J'ai pleuré encore un bon coup. On se sent encore plus minable quand on a le nez qui coule et qu'on n'a rien pour se moucher. Mon père s'est levé et j'ai cru que c'était pour m'apporter des mouchoirs. Au lieu de ça, il m'a tendu un livre en me disant : « Tu te souviens ? Tu l'adorais quand tu étais petit. » C'était mon livre d'origami. Il ne m'a pas fallu longtemps pour comprendre où mon père voulait en venir.

Ensuite, il a sorti son téléphone de sa poche : « Il n'est pas trop tard, appelle ton amie Eva, elle doit être dans le même état que toi, à deux vous serez plus forts. »

Mon père est le type le plus chouette du monde.

17

« Une fois n'est pas coutume, pour commencer ce premier conseil de classe de la 6e 11, nous allons donner la parole à nos deux délégués, Eva et Enzo. »

C'est comme ça que notre professeur de maths a présenté les choses.

J'ai dit à *Compère Guilleri* de la boucler et j'ai pensé très fort à Owen qui ne devait pas *se laisser mourri* et je me suis lancé.

« Voilà. On voudrait dire quelque chose au sujet d'Owen. » J'ai sorti un truc de mon sac et je l'ai posé sur la table. Mes mains tremblaient un peu. « C'est une grue du Japon. Là-bas, la grue est un animal important, on dit que cet oiseau peut vivre jusqu'à mille ans. La grue représente… elle représente aussi la paix. Une légende raconte que si quelqu'un plie mille grues de papier, son vœu sera exaucé. Quand un proche ou un ami est gravement malade, les Japonais plient mille grues en papier et en font une guirlande qui s'appelle *senbazuru*, et ils l'offrent au malade pour qu'il guérisse. »

Eva a continué : « Si chaque élève du collège plie une grue, nous pouvons en offrir mille à Owen pour lui dire que nous l'aimons et que nous pensons à lui. Chacun écrira son prénom sur sa grue. Ce n'est pas beaucoup, mais Enzo et moi nous aimerions faire ça pour Owen. Enzo est très calé en grues, il est capable de les plier les yeux fermés, il peut nous apprendre. »

Lorsque mes parents m'avaient appris que grand-mère était malade, j'avais passé des heures et des heures à plier des grues en cachette dans ma chambre. Mais je n'avais eu le temps d'en faire que 311. Son cancer avait été moins lent à plier la vie que moi le papier. Mais ça, je ne l'ai confié à personne d'autre qu'à Eva. C'était au téléphone. Quand je lui ai dit ensuite que, si j'avais été plus rapide, mes grues auraient réussi à sauver ma grand-mère, elle m'a répondu que j'avais tort de croire ça parce que c'était la faute du cancer, pas de la mienne. Et si Eva le pense, c'est que ça doit être vrai.

Pour Owen, je n'étais plus seul, en s'y mettant tous, on pouvait y arriver.

Le professeur de maths a commencé à applaudir, puis les autres ont fait comme lui. Miss Ombredane essuyait ses yeux. La CPE a annoncé officiellement le début de l'opération « Mille grues pour Owen ». Ensuite, elle a éclairci sa voix qui était un peu brouillée et le conseil de classe a continué normalement. À la fin, j'ai encore parlé pour expliquer que Nina était dyslexique, et même si je m'étais entraîné, je me suis trompé deux fois en le disant. La professeur de français m'a félicité de l'avoir fait parce qu'elle ne le savait pas et que ça changeait beaucoup de choses. Eva a réclamé du papier et du savon qui manquaient souvent dans les toilettes. Elle a parlé aussi de ce qu'Owen avait dit à propos des casiers. La CPE a tout noté.

La classe a eu sept félicitations et onze encouragements et les professeurs ont trouvé que, dans l'ensemble, on était une bonne classe même si on chahutait un peu. J'ai détesté qu'ils parlent de moi, surtout devant Eva, je préfère ne plus y penser. Mais ce qui est bien vrai dans ce qu'ils ont dit, c'est que je ne suis plus abonné aux 11, ni en français ni en maths.

18

Je suis passé prendre Eva chez elle comme prévu à 14 heures. J'aurais préféré que ce soit un plan cinéma parce que ça aurait voulu dire que tout allait bien pour Owen et aussi pour elle et moi, mais non. Je ne dis pas que tout allait mal pour nous, je ne lui en voulais plus pour sa trahison et on discutait souvent ensemble. On parlait beaucoup du conseil de classe, des professeurs, d'Owen et des grues, mais je n'avais pas encore osé lui dire que je l'aimais.

Je me repassais tout le temps le moment où elle avait serré ma main. Et chaque fois que j'y pensais mon cœur se serrait aussi, comme si ma main et lui étaient reliés par un fil. Parfois je me disais que c'était le signe qu'elle m'aimait et d'autres fois je me disais que c'était une sorte de réflexe parce qu'elle avait eu un choc quand on avait appris pour Owen.

On avait décidé d'aller voir Owen chez lui avant son opération. Mon père avait appelé les parents d'Eva et ceux d'Owen, et ils s'étaient mis d'accord. Mon père avait pris un après-midi de congé mais il avait dû aussi emmener Jade. Nul. Il m'avait promis qu'ils iraient faire un tour pendant qu'on serait chez Owen.

Quand Eva est montée dans la voiture, Jade et elle se sont adorées tout de suite. Jade a dit qu'Eva était trop jolie et qu'elle ressemblait à Hinata. J'étais d'accord, même si ça m'a fait penser que moi, à son âge, je n'avais pas le droit de regarder *Naruto*. Pas juste. Eva lui a répondu qu'elle était la plus mignonne des petites sœurs, et Jade a trouvé que c'était une bonne occasion de me tirer la langue.

C'est la mère d'Owen qui nous a ouvert. Elle avait les mêmes yeux qu'Owen. J'ai réalisé pour la première fois que j'avais déjà vu ça quelque part avant. Ce truc à la fois doux et têtu était aussi dans les yeux de l'âne Basile. La mère d'Owen avait un tout petit accent quand elle parlait. C'était marrant. Ça se voyait qu'elle était heureuse de nous rencontrer, « Owen ne parle que d'Eva et d'Enzo ». Là, j'ai baissé la tête. J'imaginais bien ce qu'il y avait à raconter sur Eva, mais qu'est-ce qu'Owen pouvait trouver de bon à dire sur moi ? À sa place, je n'aurais plus jamais voulu me voir. D'après sa mère, il était impatient qu'on arrive. Elle nous a expliqué où se trouvait sa chambre, à l'étage, tout au fond à droite. Mon père et elle sont restés à discuter un peu. Jade mourait d'envie de nous suivre. Elle tirait sur la main de mon père comme un petit chien sur sa laisse, et j'avais peur qu'il la lâche. Mais non. Parole de Sioux.

19

Owen était en train de jouer à la Wii quand on est entrés dans sa chambre. Il a aussitôt abandonné sa partie sans la sauvegarder. Sa mère n'avait pas exagéré, il était content de nous voir. Owen avait l'air encore plus vieux que d'habitude. Peut-être parce qu'il n'était pas coiffé et qu'il n'avait pas son super sac américain sur le dos. Ça m'a fait de la peine. Lui, il souriait comme d'habitude. Avant, ça m'aurait énervé. Mais avant, j'étais un crétin.

Je ne savais pas quoi faire de mon corps dans cette grande chambre, face à Owen, face à son cancer. Mes bras étaient beaucoup trop longs et mes mains pendaient stupidement au bout comme deux machins inutiles. Je ne savais pas quoi dire, alors j'ai juste fait : « Salut, Owen. » Comme c'était la première fois, on savait lui et moi que ça n'avait rien de banal.

Eva s'extasiait sur à peu près tout ce qu'il y avait dans la chambre d'Owen. Tout était « trop bien ! ». Sa batterie. Sa guitare électrique. Son télescope. Sa batte de baseball. Son drapeau américain peint sur un mur entier. Ses posters. *Metallica*. *System of a Down*. J'avais entendu des troisièmes parler de ces groupes-là, mais je ne les connaissais pas. Pas encore. C'était comme si Owen cherchait à gagner du temps, à prendre de l'avance. D'ailleurs, il y avait des horloges partout dans sa chambre. Au moment où je m'en suis rendu compte, elles indiquaient toutes 14:11, sauf une qui retardait de sept heures. Comme c'était celle qui était sur le mur du drapeau américain, j'en ai déduit que c'était l'heure de là-bas. J'ai aussi pensé qu'en arrivant en France c'était comme si Owen venait du passé et ça m'a fait bizarre. J'ai trouvé ça à lui dire et on s'est fait tout un délire de film de science-fiction là-dessus. Owen était vraiment très drôle.

On a joué à la Wii. Owen a trouvé que j'étais très bon mais, en vrai, c'était lui le plus fort. Après, il nous a fait écouter ses groupes préférés. Eva faisait des grimaces comiques avec ses yeux parce que ça « hurlait trop », mais moi j'ai trouvé ça cool que quelqu'un hurle à la mort à notre place tout ce qu'il y a à hurler, comme ça on ne se bousille pas la voix. Encore après, on a fait un boucan pas possible sur sa batterie, surtout Eva, c'est le seul truc où elle est vraiment nulle. C'était génial ! Jamais je ne m'étais amusé comme ça.

La mère d'Owen est venue nous apporter un goûter, des cookies qu'elle avait faits elle-même et du lait. Dès qu'elle est partie, on a levé nos verres et j'ai dit : « À notre amitié ! » Et d'un seul coup, on s'est souvenus qu'on était quatre dans la chambre d'Owen. Lui, Eva, moi et son cancer dégueulasse. Ce gros lourdingue prenait dix fois plus de place que nous.

C'est à ce moment-là qu'on a donné à Owen la première grue. Eva l'avait mise dans un joli paquet, et c'était une bonne idée parce que sans rien autour ça n'a pas l'air d'un cadeau, une grue de papier. On a raconté à Owen la légende du Japon et ce que tout le collège allait faire pour lui : nos mille grues pour Owen.

Il a dit que c'était le plus beau cadeau de sa vie. Avec tout ce qu'il avait dans sa chambre, déjà rien que la Wii, on avait du mal à le croire. Mais Owen a pleuré en disant ça, alors on a pensé que ça devait être vrai. Il a dit qu'il emmènerait la grue à l'hôpital et qu'elle serait toujours près de lui. Il nous a parlé de sa maladie, de l'opération, des séances de chimiothérapie qui allaient suivre et nous a prévenus qu'il allait manquer le collège un bout de temps. Il comptait sur nous pour lui apporter les cours. Il a dit que le cancer c'était son boss de fin, mais qu'il n'avait pas l'intention de le laisser gagner la partie. Il m'a révélé, en me faisant un clin d'œil, qu'il était né… le 11 septembre 2001, mais que ce n'était pas pour ça qu'il allait se laisser détruire comme les tours parce que sa mère lui avait toujours répété que sa naissance était un symbole d'espoir, le signe que la vie est plus forte que tout et qu'on peut surmonter le pire. Pourvu qu'elle ait raison ! En passant, j'ai pensé qu'elle s'entendrait bien avec ma mère, entre super coachs…

Mon père est revenu nous chercher à 17 heures. Eva s'est précipitée aux toilettes de l'étage. Les filles ont tout le temps envie de faire pipi, ça les prend d'un coup. Owen et moi, on est restés seuls un moment. C'est là qu'il m'a demandé si je lui avais dit… J'ai fait l'idiot : « Dire quoi à qui ? » Owen : « Tu lui as dit que tu l'aimes à Eva ? » Moi : « Qu'est-ce qui te fait croire ça ? » Owen : « Vous êtes cons tous les deux. Eva est amoureuse de toi. » Moi : « C'est toi qu'elle aime. » Owen : « Faut vraiment tout t'expliquer ! »

20

On a pris l'habitude de poser une grue de papier à la place d'Owen à tous les cours. Ça remplissait un peu sa place vide. Lui devait penser à nous en regardant sa grue dans sa chambre d'hôpital. Quelque chose avait changé dans notre classe. On chahutait moins. On s'aidait pour des choses, on se moquait moins, on travaillait mieux. Ce crétin d'Owen avait réussi à nous faire croire qu'on avait de la chance d'être là où on était. En vieillissant plus vite que nous, Owen nous apprenait à grandir. Mais aucun parmi nous ne voulait qu'il le paie trop cher, alors on se dépêchait pour les grues.

Les professeurs d'arts plastiques m'invitaient dans leur cours pour apprendre aux élèves à plier des grues. J'avais l'impression d'être un maître d'origami, surtout quand c'était des quatrièmes et des troisièmes. Le bruit a fini par courir que je pouvais plier une grue les yeux fermés et on ne me laissait pas repartir sans me demander de faire mon petit numéro. Certaines filles de troisième me trouvaient « trop mignon ». Tout le monde me connaissait au collège. J'aimais bien les entendre m'appeler Enzo de loin, dans la cour. Et puis j'ai dû plier aussi des avions, des canards, des cochons, des lapins, des fleurs, des chemises. Le mieux, c'était la grenouille sauteuse. Je n'aurais jamais pensé qu'on puisse faire des courses de grenouilles sauteuses au collège ! Au collège !

21

On a terminé les mille grues hier. Eva a accroché les derniers oiseaux de papier sur la guirlande. Elle dit que chaque fois qu'elle les regarde, il y a comme une sorte de petite balle qui rebondit dans son cœur. Je comprends ce qu'elle veut dire, moi ça me fait la même chose. Ça marche aussi quand je la regarde, et là c'est carrément au ping-pong qu'il joue mon cœur, mais je n'arrive pas à lui dire ce que je ressens pour elle.

Les grues sont de toutes les couleurs. Sur chacune, il y a le prénom et la classe de celui ou de celle qui l'a pliée. C'est super beau. J'ai appelé la mère d'Owen pour qu'elle l'annonce à Owen avant son opération. Eva et moi, on ira lui apporter les oiseaux dès qu'on pourra le voir. Elle a trouvé qu'on était tous fantastiques, qu'Owen avait de la chance de nous avoir et que ça allait bien se passer pour lui. Puis elle a dit merci avec son chouette accent américain.

Ce matin, au moment de l'opération d'Owen, j'ai réuni encore une fois dans ma tête tous les 11 de ma vie, *Compère Guilleri* et les mille oiseaux. Ça faisait du monde. On était tous assis dans une salle. J'ai mis des fauteuils rouges, c'est ce qu'il y a de mieux pour les grandes cérémonies. Owen était sur la scène dans son costume de pyjama, c'était sa scène d'hôpital. Je me suis levé de mon fauteuil et dans la lumière ronde d'un projecteur, j'ai dit à Owen : « Tu as intérêt à bien jouer ce passage-là, mon vieux, c'est le seul que tu n'as pas le droit de rater parce que c'est le plus important de ta vie, et peut-être bien de notre vie à tous. Et tu as intérêt à revenir au collège vite fait, ne va pas croire que je vais me taper ton boulot de délégué à chaque fois. Surtout, sauvegarde ta partie. Eva et moi, on est tes meilleurs amis du monde, on ne se quitte plus, comme les trois mois de l'année, septembre, octobre et novembre, on se suivra toujours même si tu repars dans tes États-Unis. On viendra t'apporter les grues dans ta loge pour te féliciter quand tu auras fini, des oiseaux ce sera mieux que des fleurs. »

J'ai laissé sortir les oiseaux et j'ai dit aux 11 que j'étais désolé, mais qu'ils allaient rester enfermés. *Compère Guilleri* leur fera la chasse s'il s'ennuie, c'est mieux que les perdrix, c'est plus facile à attraper.

Voilà où on en est, voilà où j'en suis. Il reste quelques jours avant les vacances de Noël. Après, je ne sais pas ce qui va arriver. Il suffit de se souvenir pour voir derrière, mais comment on fait pour voir devant ? Il faudrait trouver le truc pour voyager dans le temps, comme Owen, mais pour aller dans le futur. J'aimerais bien être déjà à la fin de l'année juste pour pouvoir dire que nos mille grues ont réalisé notre vœu et qu'Owen a vaincu pour toujours son cancer dégueulasse. J'aimerais bien pouvoir dire que mon père a gardé son boulot. J'aimerais bien pouvoir dire que les 11 ont complètement disparu de ma vie et *Compère Guilleri* aussi, parce que je n'ai plus besoin d'eux. Et puis, j'aimerais bien pouvoir dire qu'Owen avait raison pour Eva et que nous ne sommes plus deux beaux crétins, elle et moi.

22

Aujourd'hui, c'est notre dernier cours de SVT. Ma dernière chance avant Noël de savoir si je suis juste un bon copain pour Eva ou plus que ça. Je n'arrête pas d'y penser. D'accord, c'est plus facile de poser des questions dangereuses sur un bout de papier que de les dire tout haut, mais quoi écrire : « Tu m'aimes ? » « Tu veux bien sortir avec moi ? » « Amour ou amitié : barre la mention inutile... » J'aurais dû chercher comment on écrit « je t'aime » en chinois.

Il y a cinq minutes, le professeur principal a débarqué en pleine classe pour nous annoncer que l'opération d'Owen s'était très bien passée. On s'est levés et on a applaudi. On pensait tous aux grues, chacun sa petite balle bondissante dans le cœur. Et puis on s'est remis au travail. Enfin moi, pas vraiment…

Il reste moins d'un quart d'heure avant la fin du cours. C'est maintenant ou jamais. Je me lance. Je déchire le bas d'une feuille de papier pour faire un carré. Je le plie en deux. Tout en regardant le professeur parler de la transformation de la matière organique, je plie, retourne, rabats des côtés, retourne à nouveau, rabats, aplatis, plie, rabats, plie, rabats. Voilà. C'est un cœur blanc à grands carreaux. C'est la première fois que je fais ça pour une fille, les fois d'avant c'était pour ma mère. Le cœur qui est dans ma poitrine, c'est sûr qu'il n'est pas en papier pour battre comme ça. Je parie que tout le monde l'entend !

J'écris sur le cœur-origami : « Enzo aime Yun. » Caché sous ma main qui tremble un peu, je le pousse lentement vers Eva. Je n'arrive pas à avaler ma salive tellement j'ai la gorge serrée. Je ne quitte plus le professeur des yeux.

Yun est le deuxième prénom d'Eva. Ça veut dire « nuage » en chinois. Eva peut faire tomber de la pluie froide sur moi ou bien laisser passer le soleil. Je suis prêt à prendre l'un ou l'autre, mais j'ai besoin qu'elle m'annonce sa météo.

C'est la dernière heure de la matinée, la onzième, mais je me fiche de savoir pour les minutes. C'est terminé tout ça. La seule chose qui m'intéresse, c'est de savoir ce qu'Eva a écrit sur le cœur qu'elle me donne sous la table.

Je lis : « Yun aime Enzo. »

Je parie que c'est comme ça que le soleil est né il y a des milliards d'années.

Joëlle Ecormier

Joëlle Écormier est née à l'île de la Réunion. Elle a publié près d'une trentaine de livres. Pour les petits, des petites histoires, des albums, des chansons aussi. Pour ceux qui ne sont plus du tout petits mais qui ne sont pas encore grands, des nouvelles et des romans. Et seulement pour les très grands, des histoires de grands. Elle a même écrit pour des marionnettes. Plusieurs de ses livres ont étés récompensés par des prix.

http://www.joelle-ecormier.fr

Du même auteur :

Chez Océan Éditions, coll. « Ados » :
Théodore, le Passager du rêve, 2013.
Un papillon sauvage, 2011.
Je t'écris du pont (nouvelles), 2009.

D'autres auteurs ont écrit pour "Mes années collège"

Anne Mulpas
Le Big Big Boss

Lorris Murail
Lundi Couscous

Jean-Paul Nozière
Mon Américain

Marianne Rubinstein
La sixième, Dinah et moi

N° éditeur : 10211138 – Dépôt légal : juin 2013
Imprimé en France en octobre 2014 par JOUVE
1, rue du Docteur Sauvé - 53100 Mayenne
N° 2170530A